孩子受益一生的好故事

十万个为什么

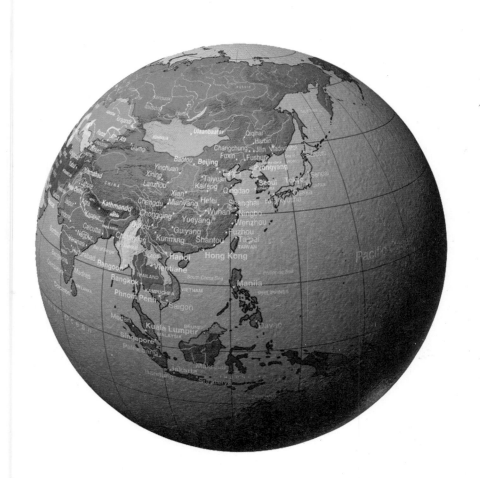

目 录

为什么将"松果体"称为人的"第三只眼"

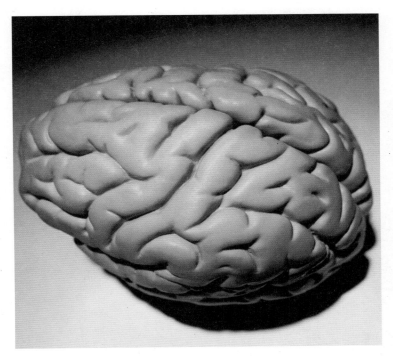

随心所问 神话传说中的二郎神有三只眼,第三只眼是一只能看见一切东西的神眼。人们当然没有那只神眼,但现在人们将长在自己脑中的"松果体"称为"第三只眼",这是为什么呢?

精心作答 松果体位于脑干深处,小脑后上部,实际就是人体的生物钟。它能根据白天和黑夜的变化,分泌激素,控制我们的生物节律。人们每天的作息时间、体温调节、血压升降和某些激素的分泌,都与它有关,所以称它为"第三只眼"。

wèi shén me yào kāi fā rén de yòu nǎo
为什么要开发人的右脑

随心所问 人类的大脑分为左、右两个半球。大脑对人体的管理是一种交叉倒置的关系，即左半边大脑支配右半身的运动，右半边大脑控制左半身的运动。现在，科学家们都强调开发人的右脑，那么，为什么要开发右脑呢？

精心作答 通常大脑左半球发育较右半球好，这可能与人们通常使用右手做事有关。因为指挥右侧肢体运动的中枢神经在左半球。右半球大脑在技艺、美术、音乐、情感、审美等方面起主导作用。为了充分发掘大脑的潜能，应重视右脑功能的开发。

4

植物人是怎么造成的

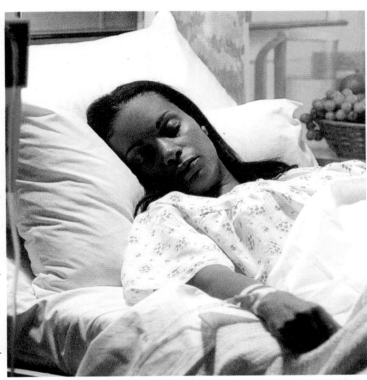

随心所问 病人双眼视而不见,不说、不动,不能控制大小便,但是呼吸、心跳、咳嗽、吞咽等本能反应存在,就像植物一样只会吸收营养,这就是植物人。那么,你知道植物人是怎么造成的吗?

精心作答 植物人是由于大脑缺氧造成的。如果人的大脑缺氧时间超过3~4分钟,即使抢救过来了,由于神经中枢已受到损害,就会成为"植物人"。严重脑外伤、煤气中毒或窒息、急性心肌梗塞引起的呼吸、心跳骤停都会使人的大脑严重缺氧。

十万个为什么

5

血液在人体内是怎样流动的

随心所问 血液占人体体重的7%~8%，这些血液在体内不断流动，带走体内的废物，带来人体必需的氧和各种营养物质。那么，你知道血液在人体内是怎样流动的吗？

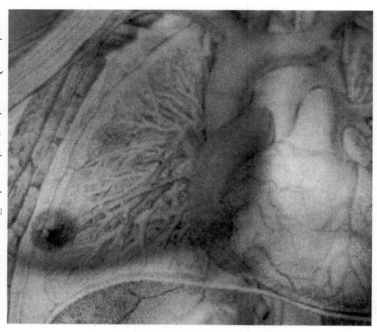

精心作答 人体内的血管有动脉和静脉之分，从心脏流出的带有氧和各种营养物质的血液从动脉流遍全身，同时把废物沿静脉带到肺、肾、皮肤等处，排出体外。一个体重约70千克的人，全身所有的血管连接在一起，总长度可达10万千米，能绕地球两圈半。

人民币上的黑点儿是做什么用的

rén mín bì shang de hēi diǎn er shì zuò shén me yòng de

随心所问 如果仔细观察，我们就会发现从一元到一百元各种面值的人民币上，都有数量不同的小黑点儿。那么，这些小黑点儿是做什么用的呢?

精心作答 这些小黑点儿不是什么特殊的防伪标识，而是盲文，是为了方便盲人使用而印上去的。仔细摸，这些小黑点儿是凸起的，它们代表了不同的数值。盲人在使用人民币时，只要触摸这些小黑点儿，就知道手里的钱面值是多少了。

十万个为什么

7

为什么可以从自动取款机上取钱

随心所问 为了方便大家的生活，现在各大银行都在办事处及闹市区等地方设了许多自动取款机，只要办理了信用卡或借记卡，就可以从中取出钱来。那么，自动取款机是怎样工作的呢？

精心作答 银行的电脑上存有人们储蓄的相关信息，而自动取款机的电脑是同银行的电脑连在一起的，只要插入我们的信用卡或借记卡，输入密码，取款机的电脑就会迅速地核对相关信息。如果帐户、密码相符，它就会按照我们输入的指令，把钱按数吐出来。

十万个为什么

银器真的能验毒吗

随心所问 白银是一种金属,它与黄金一样,也是古代流通的货币之一。相传古代皇宫贵族吃饭要用银筷子,以此检验饭菜是否被下了毒,因为他们认为银器遇毒能变黑。那么,银器真的能验毒吗?

精心作答 科学实验表明,一些有毒的东西,像砒霜、氰化物、农药、蛇毒等,都不能与银发生化学反应,也就是说,银没有验毒的本领。可是古代的砒霜的确可以使银器发黑。那是由于古人制砒霜的技术不高,提炼得不纯,使砒霜中含有硫,而银与硫或硫化氢接触,就生成黑色的硫化银了。

随心所问 西方人以面包为主食，我们中国也有许多人爱吃面包。面包松软可口，里面布满了细密的小孔，这些小孔使面包像海绵那样富有弹性和柔软度。那么，面包里的小孔是怎样产生的呢？

精心作答 做面包时要加入能使面团发酵的酵母，加入的酵母能分泌出各种酶，将淀粉分解成麦芽糖、葡萄糖，并产生二氧化碳气体。在烤制时面团里的二氧化碳受热膨胀，于是面包中就出现了许多疏松的小孔。

十万个为什么

鸽子为什么能找回家

随心所问 鸽子是人类的好朋友,它们是和平的象征。很早以前,人们发现放飞很远的鸽子千里迢迢也能找回家;于是,相处异地的人们开始用鸽子传递信息。那么,鸽子为什么能找回家呢?

精心作答 原来,地球存在着磁场,鸽子头部有一小块磁石,可以凭借磁力辨别方向。每次放飞的鸽子,它们都要在驻地上空盘旋,以确定方位。所以,即使是阴天、雾天,鸽子也不会迷失方向,一直飞回家。

北极为什么没有企鹅

随心所问 我们都知道，南北两极是地球上最冷的地方，那里常年覆盖着冰雪。可爱的企鹅生活在南极，世界上现存的18种企鹅全部生活在南半球。同样是寒冷的生活环境，北极为什么没有企鹅呢?

精心作答 北极也曾经生存过一种企鹅。人称"北极大企鹅"。它们身长0.6米，背部羽毛呈黑色，很像穿着晚礼服的绅士，数量曾达几百万只。但1000年前，海盗开始进入极地猎杀企鹅，到16世纪，到北极来的人越来越多，它们又遭到探险家、航海者、居民的大肆屠杀，终于北极大企鹅彻底灭绝了。

十万个为什么

12

为什么高飞的老鹰能抓住地上的猎物

随心所问 老鹰在千米高空中盘旋,能够看清地面上奔跑的田鼠、爬行的蛇或者水中的游鱼,当确定了捕捉目标后,能以每秒近百米的速度俯冲下来捉住猎物。

那么,老鹰为什么有这么高的本领呢?

精心作答 这是因为老鹰长了一双有特殊构造的神眼。它眼睛的视网膜上生有两个中央凹,比人眼还多一个。眼中看东西的细胞也比人眼多六七倍。所以老鹰比任何动物看得都远、都清楚,即使迎着阳光或遇到混浊的空气,也照样能辨清地面上的小动物。

公鸡为什么在黎明时啼叫

随心所问 大公鸡长着红红的冠子,披着一身漂亮的羽毛,天刚刚亮,它就"喔、喔、喔"地啼叫起来,呼唤黎明的到来,催促着人们早早起来工作。那么,公鸡为什么会在黎明时啼叫呢?

精心作答 在黑夜中,公鸡什么也看不见,于是便会感到十分不安,总担心受到侵害。而当黎明来临时,它感到危险正逐渐逝去,因而情绪高昂,便引亢高唱。久而久之,公鸡能准确掌握日夜变化,天一亮就叫起来了。公鸡啼叫还有呼唤同伴和母鸡的含义呢。

14

树妈妈也会给树宝宝喂奶吗

随心所问 大自然中，许多生物都有共同的生理现象，比如人和哺乳动物都是由母亲给孩子、母兽给小宝宝哺乳的。那么，在植物界，树妈妈是不是也会给树宝宝喂奶呢？

精心作答 树妈妈给树宝宝喂奶的现象很少见。但是在非洲的摩洛哥生长着一种叫"蓬伊迪卡萨里尼特"（善良的母亲）的树，当它开过花后，就会结出一个能滴黄色汁液的奶苞。小树从母体根部生出来后，树妈妈就将奶苞里的汁液滴在幼树上，让小树吮吸着长大。

15

植物也睡觉吗

随心所问 睡眠

是具有高级神经功能的动物的一种生理特征，像人和动物都需要休息，需要用一定时间睡觉，以恢复大脑的活力，恢复体力。那么，植物也睡觉吗？

精心作答 植物也会睡觉。有些植物的叶子和花在白天开放，夜晚闭合；有些植物的叶子和花在夜晚开放，白天闭合。合欢树、槐树、含羞草到了夜晚就把叶片成对地合拢起来"睡大觉"了；夜来香、昙花等则是白天睡觉的植物。

世界上哪种树最大
shì jiè shang nǎ zhǒng shù zuì dà

随心所问 地球上生长着数万种树木，它们是几十万种植物中的佼佼者。不同的树木长得有大有小，有高有矮。那么，哪种树算得上是最大的呢?

精心作答 世界上最大的树是美洲的红杉。在美洲国家公园中有一棵名叫"世界爷"的红杉树，它有84米高，在距地面1.52米高的地方量得的周长是34.93米。

植物能预测灾难吗

随心所问 《红楼梦》里写海棠树竟然违背天时,在冬季来临的11月份开花,作者以植物的反常荣枯来暗示大观园主人未来的命运。那么,植物真的能预测灾难吗?

精心作答 有些植物对自然灾害确实有预感。含羞草的叶片白天打开,夜晚闭合。但是如果在方圆60千米的范围内有大地震并于40分钟内发生的话,即使在白天含羞草也将闭合叶子。在台风、低气压逼近时,雷雨袭击、火山爆发前,含羞草也会出现反常变化。

地球仪上的经线和纬线有什么作用

随心所问 我们观察地球仪或观看地图时，可以在上面看到很多横线和纵线互相交织，横线叫"纬线"，纵线叫"经线"。那么，这些经线和纬线有什么作用呢？

精心作答 经线和纬线是人为设置标画的，它也叫地理坐标。设置经线和纬线可以准确地确定地球上的任何一个地点的地理位置。人们还可以根据该地点的经纬度数据，计算出该地点与相关点的距离。

白天黑夜是怎样产生的

十万个为什么

20

随心所问

白天我们工作、学习;夜晚我们休息、睡觉。人们的作息时间依据大自然有规律的白天黑夜而定。那么,白天黑夜是怎么产生的呢?

精心作答 地球在不断地绕着太阳公转的同时,还在绕着地轴自转。地球自转时,总有半面对着太阳,半面背着太阳。对着太阳的那面就是白天,背着太阳的那面就是黑夜。是地球的自转产生了白天和黑夜。

随心所问 地
qiú shang xǔ duō dì fang zhòu
球上许多地方昼
yè cháng duǎn dōu suí zhe jì
夜长短都随着季
jié biàn huà jì jié bù
节变化,季节不
tóng zhòu yè cháng duǎn yě
同,昼夜长短也
bù xiāng tóng dàn shì yǒu
不相同。但是有
de dì fang zhōng nián zhòu
的地方,终年昼
yè de shí jiān chà bu duō
夜的时间差不多
xiāng děng biàn huà bú dà
相等,变化不大,
nà shì shén me dì fang ne
那是什么地方呢?

精心作答 赤道地区终年昼夜长短变化不大。在赤道附近,南
北回归线之间,没有季节变化。白天、黑夜各为12小时左右。正午
时酷热的太阳始终高高悬挂在头顶上,处在阳光下的人及物体
几乎没有影子。

十万个为什么

21

高楼旁边的风为什么特别大

 空气流动的规律是从气压高的地方流向气压低的地方。气压差越大，空气流动的速度越快，风也就越大。可是当我们走在楼群中时，会感到两座高楼之间的风要

比其他地方的风更大，这又是为什么呢？

这是因为流动的空气在遇到高楼阻挡时会被迫改变方向。这些本来流动不快的空气通过高楼之间较窄的空间时，速度会猛然加快。所以在楼群的高楼间、通道里通过的风要比别处大得多，而且没有规律。

黄河的水为什么是黄的

随心所问 黄河是中国第二大河,它全长5,464千米,发源于巴颜喀拉山卡日曲河的涌泉。古代黄河流域曾经是中华民族的发祥地。曾经清澈的黄河水现在却是深黄色的。那么,这是为什么呢?

精心作答 几千年前,黄河流域曾经"山林丛密、取木甚易",是水草丰美、生活着各种各样的动物的地区。但是,由于战乱、火灾、滥伐,森林被毁坏殆尽,水土流失严重,黄河每立方米水中含泥沙87.6千克,汛期高达651千克,所以,黄河的水变黄了。

十万个为什么

23

宇宙是从哪里来的

随心所问 我们人类生活在地球上，我们的地球，还有太阳、太阳系、银河系，以及其他数不完的星系，都处在无边无际的宇宙中。那么，小朋友是不是会想到这一切是从哪里来的?宇宙是从哪里来的呢?

精心作答 目前普遍认为宇宙是通过一次威力巨大的爆炸产生的。这一观点认为，宇宙曾经历过一段从密到稀、从热到冷的不断膨胀过程，也就是大爆炸的过程，又经过200多亿年的演变，于是有了现在的宇宙。

宇宙有边缘吗

随心所问 在我们视线所能达到的范围里，什么东西都是有边缘、有形体的，无论是微小的肉眼看不见的物体，还是广阔的大海。那么，宇宙到底有没有边缘呢？

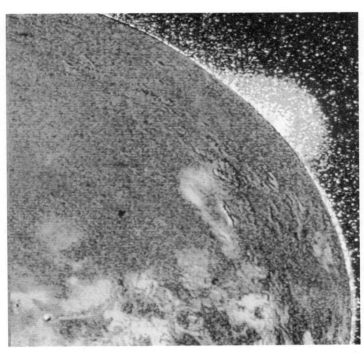

精心作答 无始无终为宇，无边无际为宙。大爆炸后产生的宇宙不停地向四周飞散、膨胀，无休无止，没有尽头。如果非要固执地坚信这种状态有一天一定会停止，那么，宇宙有边缘的那一天，可能就是宇宙停止运动的那一天，消失的那一天。

十万个为什么

25

恒星为什么会发光

 在宇宙无数颗明星中，除了少数行星外，都是自己会发光，并且位置相对稳定的恒星。只是它们离我们太远了，如果把它们拉到太阳的位置上，我们就会看到无数个太阳了。那么，恒星为什么会发光呢？

 恒星中主要是氢气，还有一些氦。氢气的燃烧热核反应使恒星发光。恒星自诞生之后，由于不断收缩，整体进行剧烈的热核反应，温度可达80万度以上。当内部温度达到1,000万度左右的时候，氢核聚变成氦核的反应会持续不断地进行。这时恒星处于主序星阶段。

为什么爆发新星

随心所问 当恒星的外部结构以爆炸的方式向四周抛射物质时,本身迅速变亮,看起来好像天空中诞生了一颗新星。所谓爆发新星就是星的突然爆发。那么,为什么会爆发新星呢?

精心作答 科学家认为新星可能是双星。一个子星是冷的红星,抛出富氢物质;另一个子星是热的白矮星,它吸收抛出物质,在表面形成气壳层。当压力愈来愈大,达到氢发生热核反应的温度时,就会导致星体爆发。

新概念武器指的是什么

随心所问 科学技术不断发展，在军事领域引起了重大变革，军队武器装备在非核武器方面发生了根本变革，各国都在发展新概念武器。那么，新概念武器指的是什么呢？

精心作答 新概念武器是继核武器之后，更有威力的武器，指采用高新技术成果研究出来的、在战争中使用的最新、最有威力的武器系统。它主要包括：定向能武器、动能武器、军用机器人、气象武器、深海战略武器等。

28

十万个为什么

军事演习为什么要选用激光模拟器

随心所问 大规模的军事演习受到许多条件限制,尤其是士兵不可能用实弹攻击假想敌,演习的效果往往不理想。现在部队在演习中,选用激光模拟器,用没有杀伤力的低能量激光代替子弹、炮弹。这是为什么呢?

精心作答 在军事演习中,选用激光模拟器,可以使演习更真实,训练效果更好。在官兵服装的各个部位分别安上激光接收器,以及音响、烟火装置,攻守双方都像身临战场一样互相攻击;计算机可以分辨"中弹"部位及子弹类型,使官兵就像真的上了战场一样。

防弹衣为什么能抵挡子弹

 武警为了保卫人民的生命财产安全，经常同犯罪分子打交道。为了减少人员伤亡，加强自我防护，有时要为他们配备防弹衣。那么，防弹衣为什么能抵挡子弹呢？

 防弹衣由特殊材料制成。硬式防弹衣是采用钢丝、钢板或陶瓷玻璃钢复合材料制作的。当子弹击中防弹衣的一瞬间，玻璃钢片便有效地将撞击力传遍防弹衣，从而使集中在一点的巨大冲击力得以分散，避免陶瓷片破碎，避弹效果很好。

怎样辨认导弹的类型符号

随心所问 导弹的类型很多，按发射点和目标位置可分为地导弹、潜地导弹、空地导弹、反坦克导弹、反雷达导弹、反卫星导弹……面对这么多类型，我们怎样辨识导弹的类型符号，从而去推知它的用途呢？

十万个为什么

31

精心作答 导弹符号是按它的发射点和打击目标位置而编排的，有空中、地面（水面）、水下三种。A(Air)表示空中，S(Surface)表示地（水）面，U(Under Water)表示水下。例如 AA-6，表明这是空对空导弹，SA-8是地对空导弹，UUM-44A是潜对潜导弹。

雷达为什么存在低空盲区

随心所问 雷达具有发现目标距离远、测定目标参数速度快、能全天候工作等特点，被广泛应用于警戒、引导、武器控制、侦察和气象观测等方面。但是在低空，雷达也有探测不到的地方。这是为什么呢？

32

精心作答 因为地球表面是球形的，越向远处，地面越向下弯曲。雷达所发出的无线电波与地表面形成切线，无线电波无法达到切线以下的地方，所以，低空便成了雷达的盲区。

未来的战士什么样

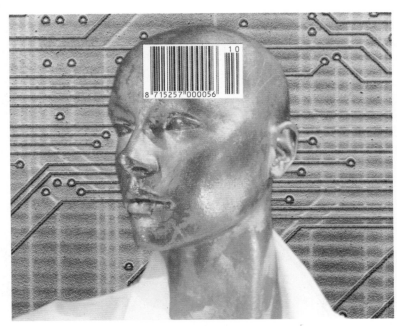

随心所问 随着科学技术的不断发展，未来的战争将不同于现在的大兵团、大部队作战。那么，未来战争中的战士又是什么样的呢?

精心作答 未来的战士将拥有十分先进的军事装备。步兵会身穿多功能防弹军服，这种军服可以有效地防范化学毒剂、生物制剂以及放射性辐射。衣服能在不同环境下发生色彩变化，能更好地进行伪装。与这种服装相配套的还有战靴、手套等。

十万个为什么

33

电子邮件是怎样传递信息的

34

人们用电子计算机写信，通过网络上的一台主机传送到另一台主机，最后送到收信人的计算机上，这样发送和接收的信件就叫电子邮件。那么，电子邮件是怎样传递信息的呢？

用户在自己计算机的存储器内划定一个存贮区，作为电子信箱。使用时，用户只要输入自己信箱的特定号码，寄给你的信件内容就立刻出现在电脑的显示屏幕上。

什么是"光脑"
shén me shì guāng nǎo

随心所问 计算机自20世纪40年代正式诞生以来,经过各国科学家的改进,不断更新换代。现在,科学家正设计研制一种比电脑更先进的计算机,称为"光脑"。那么,什么是光脑呢?

精心作答 光脑是由光导纤维与各种光学元件制成的计算机。光脑的运算速度可提高到1万亿次,比现代电脑快上千倍,可以在极小的空间内开辟很多信息通道,容纳更大的信息量。

35

北京猿人是最原始的人类吗

随心所问 看过动画片《摩登原始人》的小朋友也许还记得那些可爱的形象，他们的穿着、日常生活以及所经历的一切都引起了我们强烈的兴趣。那么，北京猿人是最原始的人类吗?

精心作答 北京猿人也称北京人，生活在距今约70万~20万年前，他们并不是最原始的人类。北京人为了抵御灾难和获取食物，开始用下肢支撑着身体直立行走，上肢逐渐进化得和现在的手十分相似。北京人还是最早使用火的古人类，他们已能捕猎大型动物。

36

随心所问

yuǎn
远
gǔ shí qī de rén lèi shì
古时期的人类是
bù zhī dào yǒu shú shí kě
不知道有熟食可
yǐ chī de tā men měi
以吃的，他们每
tiān shēng huó zài yīn àn de
天生活在阴暗的
shān dòng li chī lěng xīng
山洞里，吃冷腥
de shí wù nà me yuán
的食物。那么，原
shì rén lèi shì shén me shí
始人类是什么时
hou kāi shǐ shǐ yòng huǒ de
候开始使用火的
ne
呢?

精心作答

zài běi jīng rén shí qī rén lèi xué huì le shǐ yòng tiān rán huǒ huǒ néng yòng lái
在北京人时期，人类学会了使用天然火。火能用来
qū hán zhào míng wéi bǔ měng shòu hái kě yǐ shāo kǎo shí wù dàn huǒ zhǒng nán dé ér qiě róng yì xī
驱寒照明，围捕猛兽，还可以烧烤食物，但火种难得而且容易熄
miè hòu lái suì rén shì fā míng le zuān mù qǔ huǒ cóng ér gěi rén lèi de shēng huó dài lái le jù
灭。后来燧人氏发明了"钻木取火"，从而给人类的生活带来了巨
dà de jìn bù
大的进步。

东非大裂谷是怎样形成的

随心所问 如果从飞机上往下俯视,会发现地面上有一条硕大无比的"刀痕"呈现在我们眼前,这就是号称"大地脸上最大的伤疤"的东非大裂谷。那么,它是怎样形成的呢?

精心作答 东非大裂谷是地壳断裂形成的狭长深陷的谷地。在十多亿年前,地壳分裂成几个板块后开始漂移分离,在大陆漂移过程中,东非陆块发生破裂,从而形成了世界上最大的裂谷。

38

中国第一个国家级公园在哪里

随心所问 小朋友们知道，我国各地都有许多公园，我们平时也都喜欢去公园游玩。那么，你们知道我国第一个国家级公园在哪里吗？

精心作答 我国第一个国家级公园是张家界，它位于湖南省大庸、桑植、慈利三个县的交界处，海拔约800米，最高峰1300米，总面积达119平方千米。这里到处是连绵不断的奇峰，嶙峋高耸的怪石，潺潺的溪水，以及有着浓厚民族特色的土家建筑。

为什么耶路撒冷被称为"圣城"

wèi shén me yē lù sǎ lěng bèi chēng wéi shèngchéng

zuò luò zài dì
坐落在地
zhōng hǎi dōng bù bā lè sī tǎn dì
中海东部、巴勒斯坦地
qū zhōng bù de wén míng shì jiè de
区中部的闻名世界的
gǔ chéng yē lù sǎ lěng bèi rén men
古城耶路撒冷，被人们
chēng wéi shèngchéng xiǎo péng you
称为"圣城"。小朋友，
nǐ zhī dào zhè shì wèi shén me ma
你知道这是为什么吗?

40

wén míng shì jiè de gǔ chéng yē lù sǎ lěng shì yóu tài jiào jī dū jiào hé yī
闻名世界的古城耶路撒冷，是犹太教、基督教和伊
sī lán jiào sān dà zōng jiào de shèng dì xiāngchuán yuē zài gōngyuán qián nián qián ā lā bó rén zài
斯兰教三大宗教的圣地。相传约在公元前300年前，阿拉伯人在
cǐ dì jiàn le yí zuò chéng bǎo ā lā bó rén chēng tā wéi gǔ dé sī jiù shì shèngchéng de
此地建了一座城堡，阿拉伯人称它为"古德斯"，就是"圣城"的
yì si
意思。